字的形音義
英雄小野狼
文／林世仁．圖／章毓倩

目錄

英雄小野狼

字的形音義

英雄小野狼

小野狼，少年郎，本領一等強。

扛長槍，走四方，要把世界量一量。

大路邊，小池塘，一隻水鴨淚汪汪：

「山大王，沒心腸，搶走我的花衣裳！」

大樹下，樹影長，一隻小象淚汪汪：

「山大王，壞心腸，搶走我的好夢床！」

小野狼，少年郎，聽了火氣冒胸膛：

「不要哭，不要慌，我幫你們去找山大王！」

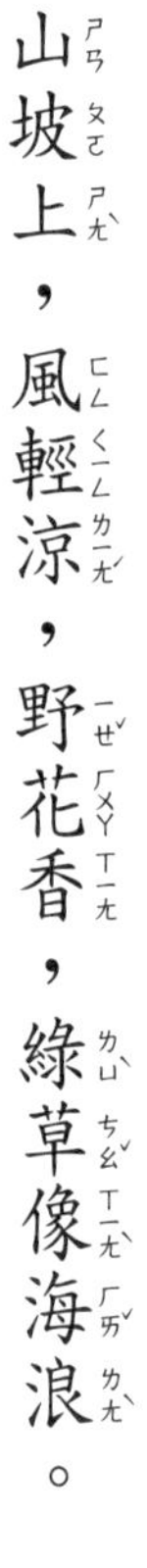

山坡上，風輕涼，野花香，綠草像海浪。

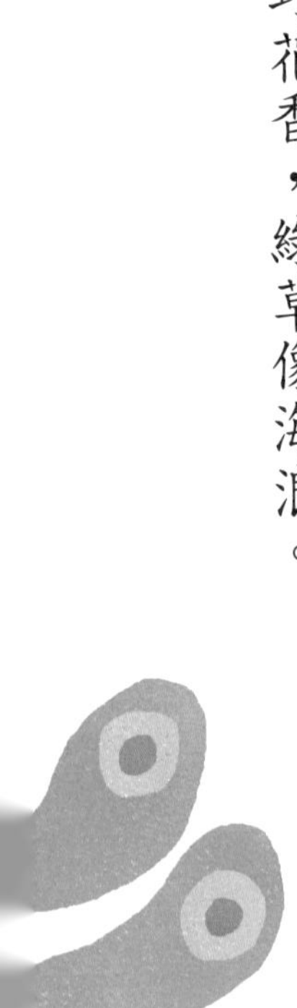

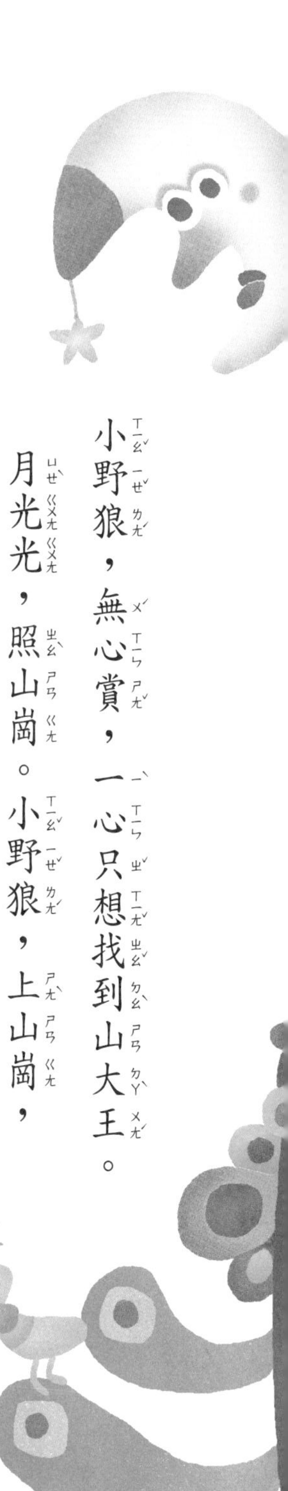

小野狼，無心賞，一心只想找到山大王。
月光光，照山崗。小野狼，上山崗，
東邊瞧，西邊望，到處找不到山大王。小螳螂，好心腸，
開口來幫忙：「山大王，把身藏。想找山大王，先到魔鏡的故鄉。」
小野狼，少年郎，追過太陽，趕過月亮，三天三夜航過大海洋。
東邊瞧，西邊望，終於找到魔鏡的故鄉。小野狼，往前闖，
穿過小溪迴廊，潛進高山廳堂，果然看見山大王。
山大王，巨人樣，
眼睛盯著大魔鏡，
嘴裡還有飯菜香。

小野狼，少年郎，舉起槍，高聲揚：

「山大王，快投降！交出水鴨的花衣裳，交出小象的好夢床！不然子彈噼啪響，要你痛得叫嚷嚷。」誰知山大王，本領更高強，轉過身，挺胸膛，雙手一揚，掐住小狼的小肩膀：

「傻小狼，我是你的娘！晚飯不快吃，還在扮戲捉迷藏，是不是皮在癢？」

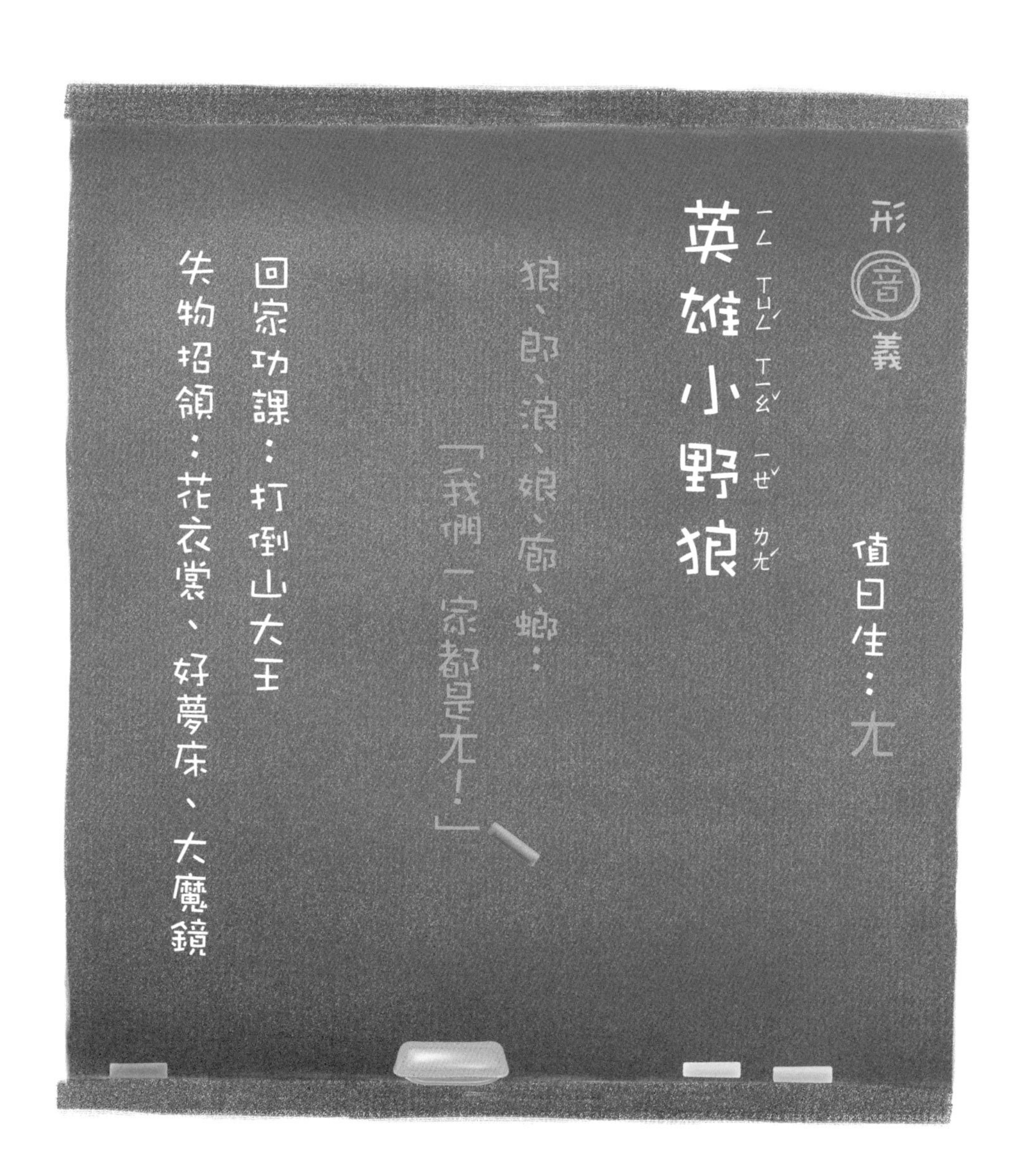
形音義
值日生：ㄤ
英雄小野狼
ㄧㄥ ㄒㄩㄥˊ ㄒㄧㄠˇ ㄧㄝˇ ㄌㄤˊ
狼、郎、浪、娘、廊、螂：
「我們一家都是ㄤ！」
回家功課：打倒山大王
失物招領：花衣裳、好夢床、大魔鏡

淘氣的雲

有一群淘氣的小白雲，

每天聚在一起就想玩遊戲。

「我們來當雪！」「好啊！好啊！」

小白雲手牽手，緊貼著山。城裡人看見了，高興的說：「哇，山上下雪了，我們去賞雪！」馬路上人擠人、車擠車，大家都往山上跑。可是人們好不容易跑上山頂，沒看到雪，只看到白雲在天上慢慢飄。

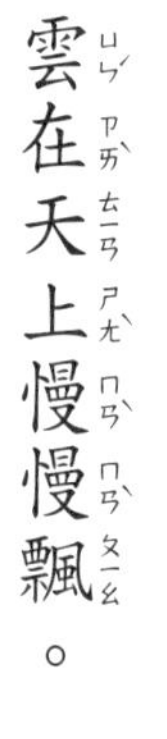

「我們今天來當霧！」

「好啊！好啊！」

小白雲手牽手溜進城市裡。「咦，怎麼起霧了？」人們小心走路，慢慢開車。可是，這霧好奇怪，紅燈就散，綠燈就來，過馬路的人一不小心就撞在一塊！人們互相說對不起，卻聽到霧裡傳來一陣嘻嘻笑。

這一天，小白雲又想到新點子。

「我們來玩包餃子！」

「好啊！好啊！」

每一朵雲都把自己變成白白的餃子皮，躲在山邊，一看有鳥飛起來，就衝過去把鳥包起來。鳥嚇得亂飛亂叫，沒多久，滿天都是飛來飛去的「餃子鳥」。小白雲好開心：「好玩好玩，我們做的餃子會唱歌！」聽，吱吱叫的是「麻雀餃子」，咕咕叫的是「鴿子餃子」，啞啞叫的是「烏鴉餃子」，布咕布咕叫的是「布穀鳥餃子」……

小白雲玩得髒手髒腳，變成小灰雲，還想玩。

「我們來包會亮的湯圓！」

「好啊！好啊！」

晚上，星星一顆一顆剛出門，就被小灰雲一顆一顆包起來。小灰雲高興的唱著：「一閃一閃亮晶晶，滿天都是小湯圓！」小灰雲手腳快，把小流星也包起來。小流星看不清方向，嚇得「咻！咻！咻！」滿天亂掉……

小灰雲玩得全身髒兮兮，變成小黑雲，還想玩。

他們想包一個熱烘烘的「大餛飩」！

第二天，太陽才剛升起來，就被小黑雲包住了。太陽也不急，也不忙，只是微微笑，慢慢走到天中央，散出光和熱。「哇，好燙！好燙！」小黑雲趕緊鬆開手，去找冷風婆婆撫撫手。冷風婆婆打他們的小屁股，罵他們太貪玩。小黑雲個個哭得眼淚汪汪，變成小雨滴掉下來。

馬路上「淅瀝瀝！」，河水裡「嘩啦啦」，屋頂上「叮咚叮咚！」……聽，他們還在玩呢，全世界都響起不同的樂章！

形音義
值日生：雲
淘氣的雲
ㄊㄠˊ ㄑㄧˋ ˙ㄉㄜ ㄩㄣˊ
轉學生：雨、雪、霧
今日公告：便當新菜色
白雲餃子、灰雲湯圓、黑雲餛飩

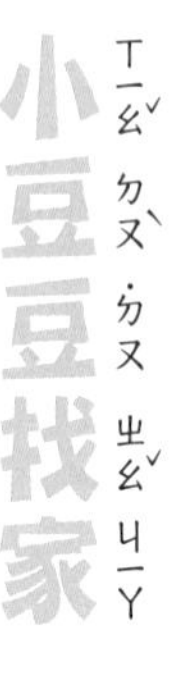

小豆想找一個家。

他走到小溪旁，小溪說：「留下來吧！我可以帶你去看沼澤池塘、湖泊江河。你可以天天洗澡泡湯、浮潛游泳，打水漂兒、數漣漪、吹泡泡，全身清涼涼。

如果你喜歡，還可以隨著波濤往前游，闖激流、繞沙洲、過深溝，游進大海洋。然後跟著洶湧的波浪淺淺深深、浮浮沈沈……還能跟著海藻跳水舞，跟著漁船游向小港灣，跟著潮汐溜到沙灘玩！」小豆豆雖然喜歡水，可是這裡到處水汪汪，有點溼答答。「謝謝你，」小豆豆對小溪說：「如果我是魚，一定跟你走。」

小豆豆走到火山邊，火山說：「留下來吧！這裡最溫暖。太陽熱烘烘，熔岩火燙燙，冬天照樣冒出熊熊火。爐火、燈火、燭火，樣樣都不缺，晚上還能通宵看煙火！有炭有煤，做菜最方便。弄烤箱、煮火鍋，烹、煎、炒、炸樣樣行，天天三餐熱呼呼！」小豆豆雖然也喜歡溫暖，但是這裡太熱了，到處都是火。

「謝謝你，」

小豆豆對火山說：「如果我是火苗，一定留在這裡。」

小豆豆走進一片森林，到處都是樹，高高低低，林木森森。

有高一點的松樹、梧桐、杉木和樟樹，
有低一點的桂花、龍柏、橘子樹和
枇杷樹。還有胖胖的榕樹，瘦瘦的柳樹，
香香的桃、李、杏，漂亮的梅花、櫻花、蘋果花……
大大小小的綠傘，樹幹直挺挺，枝條綠油油，
花朵滿天香。「啊，這裡就是我的家！」

小豆豆開心的鑽進泥土裡。

小豆豆是一顆種子。泥土裡，水潤潤，暖和和。

明年春天，他也能開出一把小綠傘！

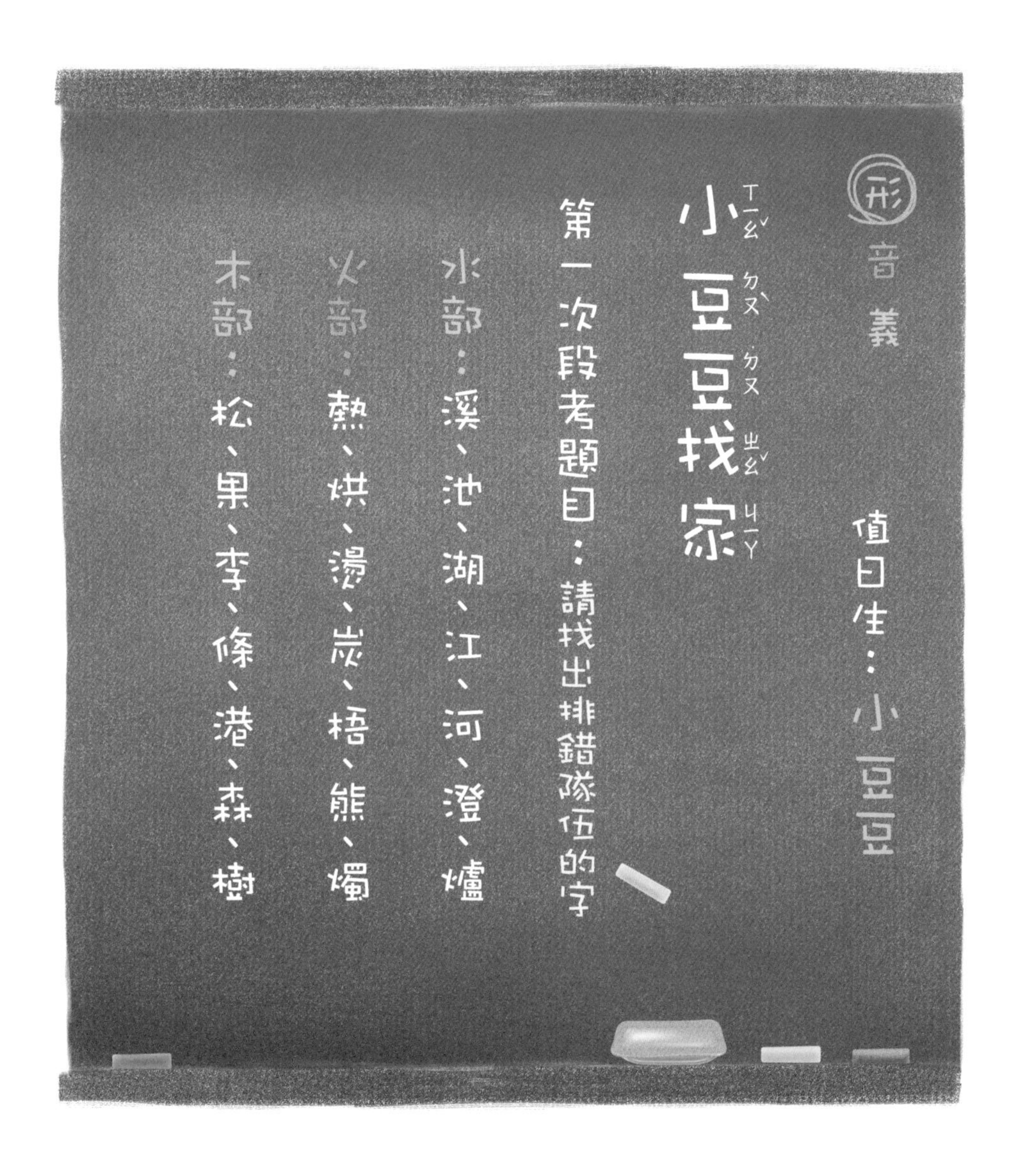
形音義
值日生：小豆豆
小豆豆找家
第一次段考題目：請找出排錯隊伍的字
水部：溪、池、湖、江、河、澄、爐
火部：熱、烘、燙、炭、梧、熊、燭
木部：松、果、李、條、港、森、樹

當心兒童

熊先生開著潛水艇，載著熊太太到海底玩。他們逛過珊瑚區、礁岩區，來到海藻區。入口處立著一個紅色的警告標誌：「當心兒童」。

熊太太說：「前面一定有小學！小心，別撞到小朋友喔。」

「沒問題！」熊先生點點頭，減緩速度，慢慢開。不遠處，果然有一群小朋友在玩扮裝遊戲。熊先生說：「我看我們還是走路過去，免得嚇到小朋友。」他把潛水艇停好，和熊太太手牽手，散步往前走。

「客人好！」兩隻化妝成天使的小丑魚上前歡迎：「歡迎你們來，請接受我們的獻花。」

「謝謝！」熊先生、熊太太高興的低下頭，接受花環，「你們真有禮貌。」

美麗的花環圍在脖子上，
隨著海水漂啊漂，真是漂亮……

忽然，花環發出閃電，
電得熊先生、熊太太手腳亂跳、
大呼小叫。

「嘻嘻，好玩！好玩！」
花環鬆開來，大笑著游走。
熊先生仔細看，啊，哪裡是花環？
是兩隻小電鰻！

一隻「獅子」走過來說：
「你們好，我是這裡最聰明的學生，

我能『出口成ㄗㄤ』！」

「真的？你能『出口成章』？」熊先生很好奇。

「當然囉！」「獅子」說完立刻張開嘴巴，朝著熊先生、熊太太噴了一大口髒兮兮的黑墨汁。

「哈哈，沒騙你們吧？我一開口就能噴出髒東西呢！」「獅子」脫下面具，一溜煙跑走了。原來是一隻小章魚！

一隻童子軍魚游過來，一鞠躬說：

「對不起，小章魚太壞了，讓我來帶你們參觀吧。」

童子軍魚領著他們走進海藻深處。

漂來漂去的海藻，好像美麗的彩帶。

熊先生正想讚美，忽然發現童子軍魚不見了。

「哇，我們迷路了！」熊太太害怕得大叫。

左邊、右邊都是長長的海藻，漂啊漂，好像巫婆的長手指，還發出可怕的聲音。

熊先生、熊太太嚇得趕緊往回跑，卻被海藻不斷絆倒。

「嘻嘻！」一些「海藻」忍不住笑出聲。啊，原來是一群小海蛇！

熊先生、熊太太好不容易走出來，卻發現童子軍魚開走了潛水艇，所有小魚都坐在裡頭對他們扮鬼臉！

「小偷！」熊先生想追，哪裡追得上？

「怎麼辦？」熊太太急哭了：「我們怎麼回去？」

還好，一隻路過的大海龜發現了他們，載他們上岸。

「哎呀，你們太不小心了！」大海龜說：「那群小壞蛋是海底出了名的騙人王呢！」一會兒，大海龜又像想起什麼，忍不住責備他們說：「咦，我不是在入口處立了一個警告標誌——『當心兒童』嗎？你們怎麼沒注意、沒當心呢？」

夕陽「咚！」的一聲掉進海裡，四周一下變得安安靜靜。

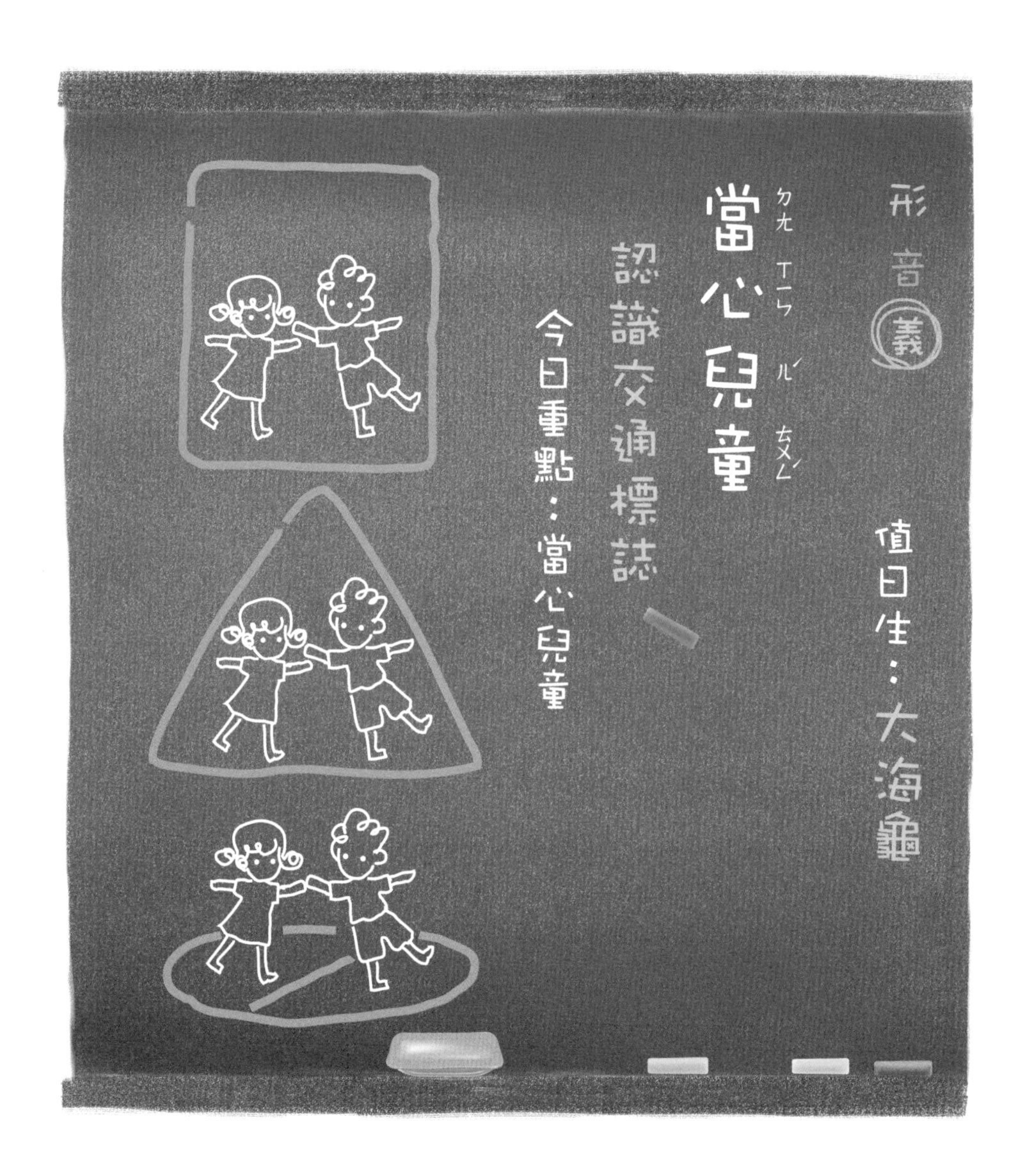
形音義
值日生：大海龜
當心兒童
ㄉㄤ ㄒㄧㄣ ㄦˊ ㄊㄨㄥˊ
認識交通標誌
今日重點：當心兒童

小鳥和獅子為什麼餓肚子？

一隻小鳥追著一隻小飛蛾，小飛蛾左飛右飛，飛進小溪邊的山洞。

一隻獅子追著一隻鴕鳥，鴕鳥東逃西逃，逃進小溪邊的山洞。

飛蛾看見鴕鳥衝進來，害怕的說：

「求求你，別吃我！」

「放心，我不會吃你。」鴕鳥說：「獅子在追我，我只是進來躲一下。」

「喔……」飛蛾鬆了一口氣：「小鳥在追我，我也是進來躲一下。」

飛蛾和鴕鳥你看我，我看你，聽著遠遠的聲音越來越近。

怎麼辦？怎麼辦？小鳥、獅子就快追來了！

鴕鳥嘆了一口氣：「真可惜！前面有條河，擋住路。不然我早就逃遠了！」

飛蛾也嘆了一口氣：「我能飛過河，但是沒有用，小鳥一樣追得上。」

飛蛾緊張得心臟噗噗跳，鴕鳥緊張得腳發抖；小鳥和獅子已經追到了山洞口！

飛蛾和鴕鳥，你看我，我看你，斗大的汗珠往下落……

忽然，一個靈感落進飛蛾的小腦袋。

「有了！」飛蛾說：「我有一個好主意，我們來交換！」

「交換？交換什麼？」

「先別問，快跟著我做！」

蛾把自己分開，變成了虫和我。

鴕鳥跟著照做，把自己分成鳥和它。

「好，開始交換！我把我左邊的虫給你，你把你左邊的鳥給我。」

「好。」

神奇的事情發生了！

虫＋它＝蛇

我＋鳥＝鵝

山洞口，爬出來一條花花蛇。小鳥看了嚇一跳，趕緊逃！

山洞口，走出來一隻大白鵝。獅子楞楞的想不通：「咦，怎麼駝鳥變成了一隻大白鵝？」

獅子還沒有反應過來，大白鵝已經跳進小溪，優優雅雅的游遠了。

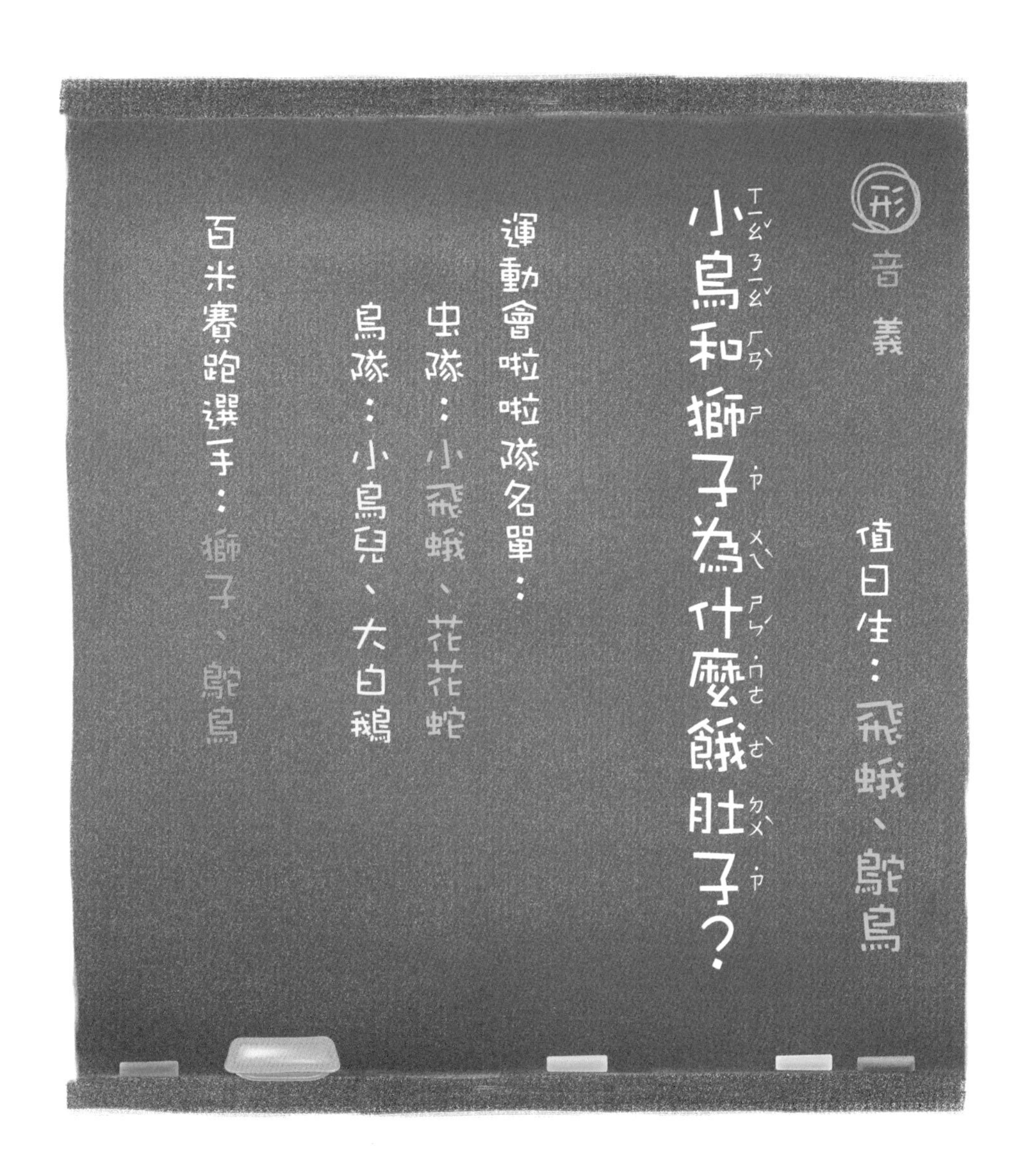
形音義
值日生：飛蛾、鴕鳥
小鳥和獅子為什麼餓肚子？
運動會啦啦隊名單：
虫隊：小飛蛾、花花蛇
鳥隊：小鳥兒、大白鵝
百米賽跑選手：獅子、鴕鳥

灰雞搭飛機

一隻灰雞，想搭飛機。
上了飛機，又怕飛機。
飛機飛過陸橋，灰雞往
下一瞧：
離地好高，這下糟糕，
掉下去一定變成雞蛋糕！
左邊瞧瞧，右邊瞧瞧：
旺旺狗提著青藤松；
妙妙貓拎著金銅鐘；

獅子牽著瘸子；

婆子帶著孩子，

提著水果籃子。

灰雞壯起膽子，

拉開嗓子：

「好飛機，快快飛，

我來幫你飛一飛！」

飛機飛，灰雞揮；

飛機展翅飛飛飛，

灰雞展翅揮揮揮。

飛啊飛，揮啊揮。

飛機飛到一〇一大廈，
灰雞揮到一零一下。
窗外風緊，出現神奇風景：
飛蝶開著飛碟，裁縫縫著彩虹。
雪人揮著好酒，學人揮手好久……
飛機碰到亂流，灰雞碰倒亂溜。
妙妙貓：「喵喵喵！」
旺旺狗：「汪汪汪！」
不知道是旺旺狗的青藤松
撞倒了妙妙貓的金銅鐘，

還是妙妙貓的金銅鐘撞翻了旺旺狗的青藤松？

蝨子咬獅子，獅子抓蝨子。

獅子撞倒了婆子，嚇哭了孩子，打翻了籃子，滾出了果子。

瘸子吃掉了茄子，壓扁了桃子，踩壞了李子，捅出了一個大漏子！

飛機上的機關撞痛了
灰雞的雞冠。
灰雞嚇壞了膽子，
撞歪了脖子。
飛機著地「砰砰砰！」
灰雞心跳「怦怦怦！」
「砰砰砰！」
「怦怦怦！」
灰雞再也不敢坐飛機。

形音義
值日生：灰雞、飛機
ㄏㄨㄟ ㄐㄧ ㄉㄚ ㄈㄟ ㄐㄧ
灰雞搭飛機
回家功課：跟爸媽比賽繞口令
灰雞想飛，飛不上去。
飛機想走，走不出去。
灰雞看飛機，越看越生氣，
為什麼飛機飛得上去？
飛機看灰雞，
越看越心急，
為什麼飛機不如灰雞？

最高的山

世界上有好多山，有的胖，有的瘦，有的光禿禿，有的綠油油……每座山都不一樣，但是每座山都好生氣！因為火山說他是最高的山，還要大家來比賽，看看有誰比他高。

饅頭山才出門，就趕緊轉回家；他發現自己的山頂只比別人的山腳高一點點。枕頭山走沒多遠，也羞紅了臉，悄悄回頭；他發現自己的山頂還碰不到別人的山腰！

其他的小山丘、小山巒、小山岳也都不敢往前走。到了比賽地點，只剩下幾座真正的高山。

金山、銀山首先站出來：「哼，我們像金、銀一樣閃亮，有誰比我們更高貴？」

火山說：「對不起，我們是比誰最高，不是比誰最高貴。」

金山、銀山發現自己弄錯了，脹紅了臉，趕緊離開。

從北極趕來的冰山，一路上猛流汗，越走越矮，才剛到就矮了一半。

「哈哈哈！你這個樣子也想來比賽？」

火山看著冰山哈哈大笑，又對其他的山說：「不管是什麼山，碰到我，全都要變得矮一截。」說完立刻噴出火燙燙的大火和熱熔熔的岩漿。所有山都大叫一聲跳起來：「哎呀！我的頭著火了！」

「哎呀，我的肚子著火了！」

「哎呀，我的屁股著火了！」……冰山最可憐，一句話都來不及說就融化了。

火山拚命噴火，不斷噴……終於噴完了肚子裡的最後一把火。所有的山都被大火和岩漿燒垮了、變矮了，個個氣紅了臉，說不出話。

火山得意的說：

「哈哈哈！我說嘛，我才是最高的山！」

半夜裡，天氣變得冷颼颼。融化的冰山，變成了雪，飄下來，正好落到火山的山頂上。

「哈啾！」火山打了個大噴嚏醒過來。他覺得全身冰涼涼，被什麼東西蓋住了。

「誰？是誰站在我身上？」火山生氣的問。

「是我，冰山。」一個小聲音輕輕悄悄的回答說：「嘻嘻……不好意思，我現在好像比你高了一點喔！」

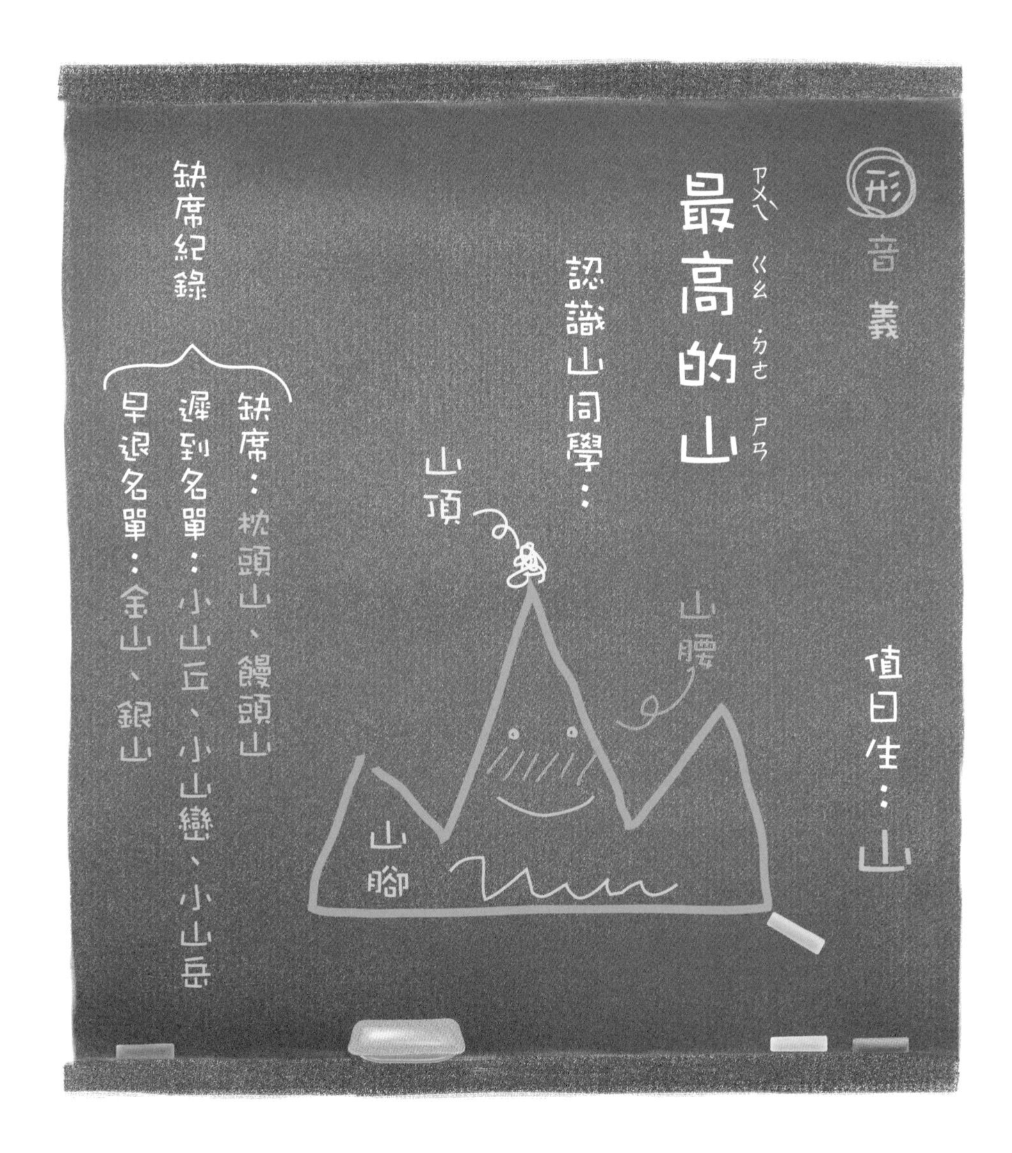
形 音 義
最高的山
ㄗㄨㄟˋ ㄍㄠ ˙ㄉㄜ ㄕㄢ
認識山同學：
山頂
山腰
山腳
值日生：山
缺席紀錄
缺席：枕頭山、饅頭山
遲到名單：小山丘、小山巒、小山岳
早退名單：金山、銀山

傻蛋滾蛋

有一個傻蛋到魚市場找工作，魚老闆給他一張魚網，說：「我有事出去一下。你先去打魚，天黑之前要打到一百條魚。」

「打魚？」傻蛋想：「老闆真笨，打魚怎麼能用網子？應該用棍子才對！」傻蛋回家找來一根又大又粗的木棍。「哎呀，老闆真健忘，忘了告訴我去哪裡打魚。」傻蛋左想右想，

「嗯，還好我夠聰明！一定是老闆的魚不聽話，要我去打一打，教訓一下！」

傻蛋走回魚市場，找到老闆的魚攤位，看到魚在攤子上劈啪跳。

「哼，果然不乖。」傻蛋開始用力打魚，一邊打一邊數：「一條、兩條、三條……」好多蒼蠅嗡嗡嗡飛起來，傻蛋打得更加起勁：「哈，我打魚還能順便趕蒼蠅，老闆看到一定高興得跳起來！」

魚老闆回來看到，果然跳起來：「哇，停停停！魚都被你打壞了！你被開除了！你……你……你真該去看醫生！」

於是，傻蛋就去看醫生。

他心裡想：「魚老闆人還不壞，介紹我新工作。」

可是他在醫院裡看了好久，看了眼科醫生、內科醫生、外科醫生，還瞪著心理醫生看了好久好久……都沒人付錢給他。

而且，他發現醫生都長得不好看，

「看醫生」這工作實在太無聊了。

於是，他就到養雞場去當撿蛋工人，

順便晚上當守衛。一天夜裡，

小偷來偷雞，順手摸走一籃蛋。

老闆遠遠看見，大叫：

「抓住那個壞蛋！」

傻蛋馬上撲倒小偷，搶過籃子，

一顆一顆仔細檢查起來。

小偷爬起來，趕緊溜走。

老闆趕過來，傻蛋立刻立正站好：

「報告老闆，別擔心！

我檢查過了，只有一顆壞蛋，

而且沒被偷走！」

老闆氣得臉色發白：「你……

你……你給我滾蛋！」

「是！」傻蛋深深一鞠躬，

很有禮貌的問：「請問……您是要我

滾大雞蛋還是滾小雞蛋？」

形音義
值日生：傻蛋
傻蛋滾蛋
ㄕㄚˇ ㄉㄢˋ ㄍㄨㄣˇ ㄉㄢˋ
＊以下傻蛋造句法，作文禁用：
看醫生：奶奶每個禮拜都去看醫生，
我想醫生一定很帥。
壞蛋：為了身體健康，我們不應該
吃壞蛋。

男生好還是女生好？

白雲上，有兩位小仙童在吵嘴。他們在爭論男生好還是女生好？

女仙童說：「當然是女生好囉！倉頡造字寫得清清楚楚：女子好，少女妙，女生開口，萬事如意。家有女生，一切平安！而且我們女生做起菜來，魚羊鮮，滋味好，包管家人吃

得舌甘甜！」

「不不不，不是少女妙——是女少妙！」男仙童雙手一搖，嘴巴一翹，說：「男生當然比女生強！水中魚，漁夫捕；美大羊，獵人捉；種田出力靠男生。山石岩，白水泉，上山挑水也是男生行。我們男生還能騎奇馬，張長弓，守城堡，保土衛國，強過女生一百倍！」

「胡說！」女仙童不服氣：「你舌頭不正，盡講歪理！」

「你才胡說！」男仙童扮了個大鬼臉：「你才是『自大加一點』──臭美！」

女仙童和男仙童，爭不出結果，決定找人評評理。

赤腳大仙走過來，聽完呵呵笑：「日月明，當空照，青天好日天氣晴。我說啊，好天氣何必鬥嘴爭輸

贏？依我看，男生女生都不好，還是山人我這個神仙好，哈哈哈！」說完大笑著走了。

兩位仙童只好再找別人評理。遠遠走來一個人——喔不，不是人，是佛祖。

佛祖說：「你看你們倆，一人就自大，二人吵翻天。吵來吵去也不知道對方說的對不對。這樣吧，我讓你們下凡走一趟，互相交換性別，體會

一下，你們就知道究竟是男生好還是女生好。」

佛祖隨手一指，撥開雲頭，送兩人下凡。

於是，女仙童下凡當了男生，男仙童下凡當了女生。

聽說，他們到了人間，一碰頭就又吵個不停！看得天上的佛祖直搖頭——因為啊，他們全忘了自己的性別已經顛倒過來，女生一直堅持男生好，男生一直堅持女生好呢！

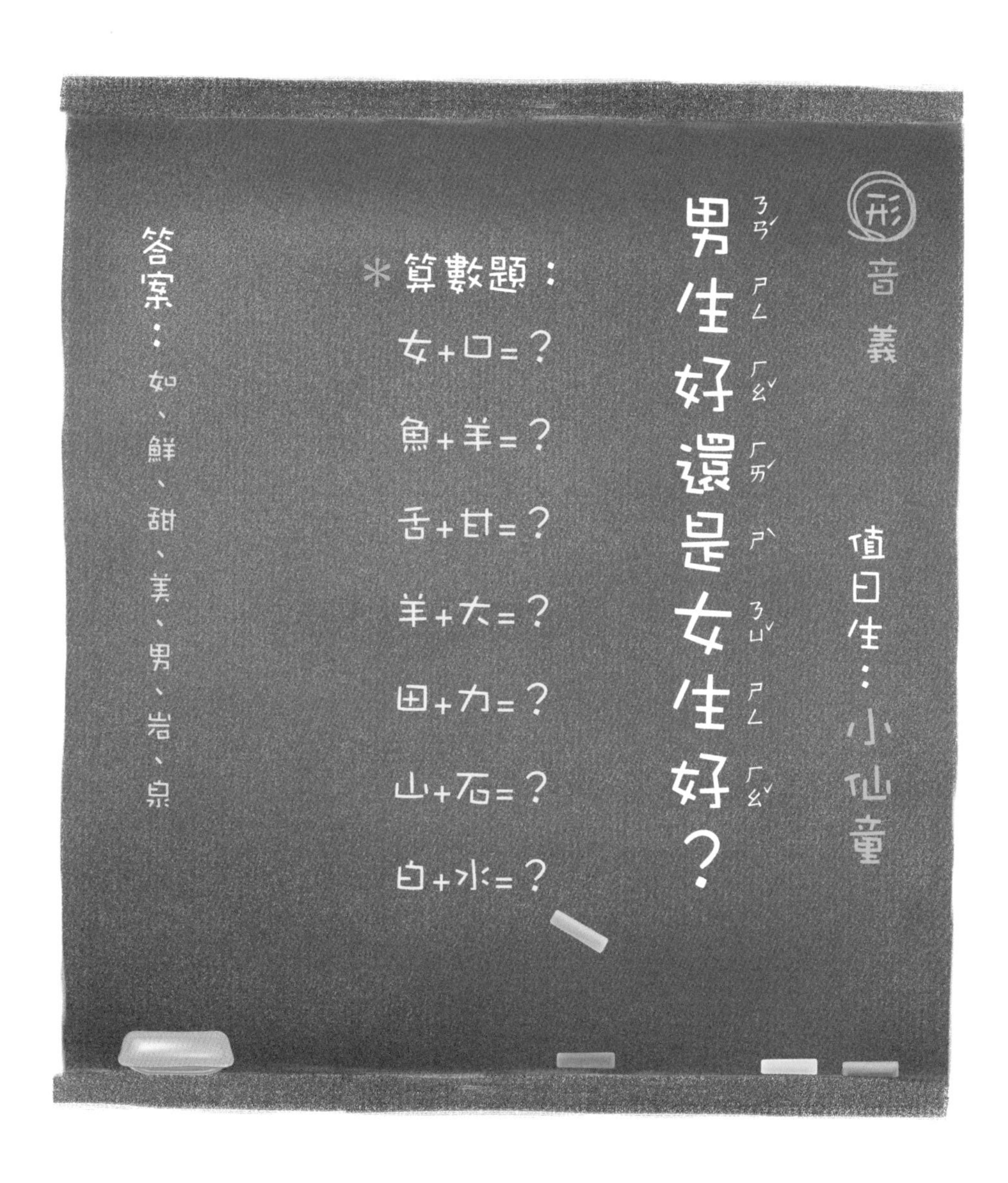
形音義
值日生：小仙童
男生好還是女生好？
ㄋㄢˊ ㄕㄥ ㄏㄠˇ ㄏㄞˊ ㄕˋ ㄋㄩˇ ㄕㄥ ㄏㄠˇ
*算數題：
女+口=？
魚+羊=？
舌+甘=？
羊+大=？
田+力=？
山+石=？
白+水=？
答案：如、鮮、甜、美、男、岩、泉

卡先生的奇妙之旅

卡先生是個胖精靈，不管做什麼事，心裡總是上上下下，拿不定主意。他在樓上跟小鳥聊天，心裡就想：「我為什麼不到樓下去跟螞蟻玩？」他下樓去找螞蟻玩，心裡又想：「我為什麼不上樓去？說不定有飛機迷路，飛進我的書房呢！」

有一天，卡先生去旅行。他的心又開始上上下下，又想上山看風景，又想下海去玩水。有兩個聲音在他心裡拉拉扯扯，一個要把他拉上天，一個要把他拉下海。淘氣的風瞧見了，偷偷走過來戳他的小肚臍。卡先生覺得好癢好癢，又扭又笑，又笑又扭……哇，竟然笑破了肚皮——真的把肚皮笑破了！他的身體一下子分成兩半。

卡

上上下下

上上好興奮，他終於可以一直往上走囉！上上爬上山，和山羊比賽跑。上上跳上白雲，在雲裡和燕子打雪仗。上上跳上風的翅膀，去敲天堂的門。一群天使走出來，帶著上上坐上「彗星列車」，環

下下好興奮，他終於可以一直往下走囉！下下跳進海裡，跟飛魚比賽游泳。下下潛到大海底，跟大海龜一塊遠足，從東半球游到西半球。下下跑進深海溝，參加燈籠魚的漁火晚會。下下鑽進地心，

遊宇宙一圈。他們還幫剛誕生的星星寶寶唱生日快樂歌呢……上上累了、睏了，他開始想念另外一半。他想回去告訴下下這麼多好玩的事。上上溜下雲梯，滑下彩虹，回到山上。他在山坡上碰到一隻鳥。鳥看著一封信，眼淚滴滴流。上上問：「你怎麼啦？」鳥抬起紅紅的

發現裡面有好多好多被人們遺忘的夢在打瞌睡。下下走過去，一個一個搖醒它們，要它們快快回家……下下累了、睏了，他開始想念另外一半，他想回去告訴上上這麼多好玩的事。下下開始往上游！在海中央，下下看到一條魚，拉著海藻擦眼淚。下下問：「你怎

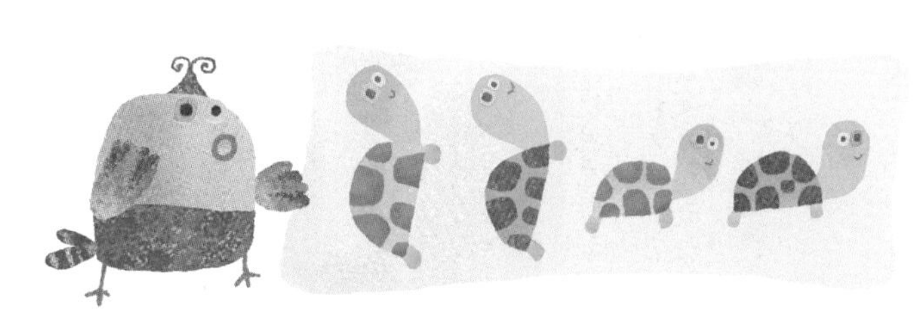

眼睛說：「我想去找魚玩，可是又不敢。」「為什麼？」鳥搖搖頭，指著信：「魚寄來一封信，笑我是大烏龜。」上上看著那封信，信上什麼字都沒有，只畫了四隻大烏龜，後面兩隻還豎立起來，站得直挺挺。上上認真看，仔細想，上上下下想一遍。「龜？歸？哦，你

麼啦？」魚說：「我想去找鳥玩，可是又不敢。」「為什麼？」下下問。魚拿出一封信，紅著眼睛說：「鳥笑我是老鼠！心腸像老鼠一樣壞！」下下接過信，上面什麼字也沒有，只畫了一隻老鼠，空一格，又畫了兩隻老鼠，最下面還畫了一顆心。下下仔細看，認真

誤會了，」上上笑起來：「你的朋友是說『歸，歸，速歸！速歸！』，他在等你回去呢！」「真的？」鳥好高興，立刻載著上上往山下飛。沒多久，鳥看見了魚。上上看見了下下。

想，上上下下想一遍。「鼠？數？喔，你誤會了！他是稱讚你是『數一數二』、有愛心的好朋友！」「真的？」魚好高興，載著下下，飛快的往上游。沒多久，魚看見了鳥。下下看見了上上。

上
上
下
下

鳥和魚好開心。
卡先生也好開心！

形音義
值日生：上上、下下
卡先生的奇妙之旅
ㄎㄚˇ ㄒㄧㄢ ㄕㄥ ˙ㄉㄜ ㄑㄧˊ ㄇㄧㄠˋ ㄓ ㄌㄩˇ
第二次段考題目
一、加加看（例題：上+下=卡）
木+木=？
口+門=？
人+言=？
二、看「字」說故事，任選一字：
「尖」、「囚」、「休」

閱讀和文字，文字和閱讀

兒童文學大師　林良

關心兒童閱讀，是關心兒童的「文字閱讀」。

培養兒童的閱讀能力，是培養兒童「閱讀文字」的能力。

希望兒童養成主動閱讀的習慣，是希望兒童養成主動「閱讀文字」的習慣。

希望兒童透過閱讀接受文學的薰陶，是希望兒童透過「文字閱讀」接受文學的薰陶。

閱讀和文字，文字和閱讀，是連在一起的。

這套書，代表鼓勵兒童的一種新思考。編者以童話故事，以插畫，以「類聚」的手法，吸引兒童去親近文字，了解文字，喜歡文字；並且邀請兒童文學作家撰稿，邀請畫家繪製插畫，邀請學者專家寫導讀，邀請教學經驗豐富的國小教師製作習題。這種重視趣味的精神以及認真的態度，等於是為兒童的文字學習撤走了「苦讀」的獨木橋，建造了另一座開闊平坦的大橋。

中文才是競爭力！

親子天下執行長　何琦瑜

二〇〇五年初，我們剛開始籌備《天下雜誌》童書出版時，教育界正掀起「搶救國文」的運動。聽起來有些荒謬，在臺灣的孩子，人人爭學英語，但中文能力日益衰退，到必須「搶救」的地步。另一個現場，歐美國家，乃至鄰近的韓國，卻掀起爭學中文的熱潮，因為以中國為主的「中文」區域，即將崛起為世界的經濟霸權，西方國家的孩子們爭學中文為「第二外語」，華語教師炙手可熱。以英文為母語的人口不過四億，只有中文母語人口的三分之一。所有人都相信，中文才是未來的競爭力。

為什麼孩子應該「好好學中文？」因為中文的閱讀與理解能力是所有學習的基礎。許多孩子數學考不好，是因為他看不懂中文，不了解題目在問什麼。中文是各行各業功成名就的踏腳石，中文不好，代表著自我表達能力受限，再多專業知識都不能彌補。語言的邊界，就是世界的邊界。當孩子懂得並善用自己的文字與文化，才能更有自信的往外探索廣闊美好的新世界。

【字的童話】：中文閱讀的入口

因為如此堅定的相信，我們開始企劃【字的童話】系列讀本。希望以中國文字為創意的起點，把中國字的趣味與變化，融合在幽默溫馨的童話故事裡。我們希望透過童話，讓孩子一窺中文的趣味與變化，引發孩子對中文閱讀的興趣。讓孩子開心的記憶、理解、認識字。讓孩子從輕鬆有趣的童話開始，跨過閱讀的門檻，展開人生閱讀的美好旅程。因此，我們諮詢文字學、教育、閱讀領域的專家，找出孩子識字與閱讀的原理原則，將它編撰為系列大綱，構成「字的形音義」、「字的化學變化」、「字的排隊遊戲」、「字的主題樂園」、「文字動物園」、「文字植物園」、「字的心情」七本綱要方向。

另一方面，所有的專家都告訴我們，唯有「趣味」，才能引起學習的胃口。所以我們邀請兩位得獎無數、兼具幽默感與文學素養的兒童文學作家林世仁和哲也一起討論創作的主題和方向。他們創作的童話，想像力豐沛，不僅能逗得孩子開懷大笑，更超越「字」義之外，激發孩子更多元的思考。

從圖畫轉進文字的橋梁

孩子從純粹圖畫的閱讀，開始轉進文字的閱讀，父母絕對需要幫助孩子，找到適當的「橋梁書」，不至於讓孩子在文字面前碰壁，自此關上閱讀的大門。【字的童話】系列，特地找到十四位愛好這些故事的童書插畫家，繪製可愛風趣的插圖，創造與一般讀本截然不同的圖像趣味。這是針對需要橋梁書的閱讀階段，最好的讀本。

除了七本故事讀本之外，我們特別邀請長期研究閱讀與識字的中央大學學習與教學研究所榮譽教授柯華葳，以及健康國小的資深國語文教師群，撰寫了相關的導讀和語文遊戲活動，非常適合教師教學使用，或是讓家長跟孩子把好玩的語文遊戲當成親子活動。希望「字」在生活裡，讓孩子自然而然愛上中文。

【字的童話】系列架構簡介：

1. 字的形音義（書名：《英雄小野狼》）

孩子對字詞的學習，最初是從「音」的熟悉和認識開始。所以國外的讀本系列，都以韻文、短詩為第一階段的閱讀素材。從音的熟習，進展到對字形、字義的理解。《英雄小野狼》充滿著「朗朗上口」的好故事。非常適合開始學字的學齡兒童。

2. 字的化學變化（書名：《信精靈》）

當同一個字放在不同的位置，和不同字「交朋友」，就跨出了「單字」，進入「詞」與「句」的階段。同樣的字會產生「化學變化」，表達不同的意思。《信精靈》一書，以最簡單的十個字為中心，發展出十篇人物、背景截然不同的奇想童話。

3. 字的排隊遊戲（書名：《怪博士的神奇照相機》）

同樣的句子，倒著念，順著念，從中間念，條條大路皆可通。這就是「字的排隊遊戲」，是本套書中最具「遊戲性」的一冊，不僅故事幽默風趣，還可以「邊看邊玩」喔。

4. 字的主題樂園（書名：《巴巴國王變變變》）

中文閱讀裡有好多看似無用，其實有大用的虛字、疊字、量詞、狀聲和語助詞。為什麼會說「乾巴巴」，而不說「溼巴巴」呢？憑藉著長期閱讀培養的語感，我們學會用這些字，或是加強語氣，或是更細緻的描繪所見所想。在「字的主題樂園」一冊中，作者運用了中國字裡精采的「特殊字」，彷彿讓讀者身歷其境，看見、聽到、感受到在「主題樂園」裡歡樂的聲音和情緒。

5. 文字動物園、文字植物園（書名：《十二聲笑》、《福爾摩斯新探案》）

比擬，是中文寫作重要的技法之一。當孩子從字到詞、從詞到句構的基本功完成後，就開始要潛近字的「想像」與「比擬」的境界。「老虎鉗」沒有老虎的吼叫、「牛皮紙」並不真的是牛皮做的，生活周遭的植物和動物，是孩子最常接觸、用以比擬的主題。在「文字動物園」和「文字植物園」兩冊中，作者以意想不到的方式，帶給孩子對植物和動物超寫實的驚奇。

6. 字的心情（書名：《小巫婆的心情夾心糖》）

形容詞的豐沛與否，決定了孩子表達能力的強弱，如何形容不同程度的快樂、悲傷、憤怒等，不同程度的情緒和心情？在「字的心情」一冊中，作者用溫馨動人的童話，把心情「一網打盡」。

字的形音義

臺北市立健康國小老師　王文秀

一般孩子的識字歷程，往往是先認識字的「形體」，再由爸媽或是老師指導「讀音」，最後才懂得「字義」及使用時機。像是過去兒童的啟蒙教材——三字經、百家姓、千字文……等，都是要求孩子逐字指讀後，讓他們在這群常用字中，找到字與字的異同處，再經由比較、相互辨別，最後做文字的再確認，這才完成識字工程。而啟蒙教材的功能除了讓孩子念得順口外，還可透過認讀方法識字，至於字義往往都是隨著閱讀文章的不同而異，再由老師一一解釋。

現在孩子識字過程中，最常問的就是：「那是什麼字？」這個字可能是他注意很久或是有興趣，才會引發識字的強烈動機。協助孩子識字，最重要的就是幫忙找到字與生活經驗的連結。對孩子來說，和「字」產生特定的連結後，這個字才有意義，否則依然是個不會使用的「生字」。例如：孩子在認識「媽媽」、「奶奶」、「妹妹」這些字時，會發現她們都是女生，所以都有個女部，而「媽」字右邊的「馬」像是媽媽罵人時的大嘴巴和四顆大牙齒；「奶」字右邊像是奶奶彎著腰、拄著枴杖在走路；而「妹」字右邊的「未」像是妹妹的蓬蓬裙。這樣的解釋方法和孩子的生活經驗結合，比起讓他強記「女」加「馬」、「乃」、「未」會變成哪些字來得重要且有意義。

一、以貌取「字」——文字的形體

識字最基本的步驟就是讓孩子從一群字中，找到字與字的差異點。例如：雨、雲、霧、霜、雪……等字，這些字中，每個字都有個「雨」部，配合不同字的元素。孩子必須對字的差異有所覺察，才能開始分辨字音和字義，否則學了「董」字後，便把街上的「薑」母鴨唸成「董」母鴨；學了「大象」之後，就把「大眾」皮鞋唸成「大象」皮鞋。這類的趣事，都是孩子對字的了解尚未完整導致，因此，字形的分析能力是識字基礎。

認識字形的過程可以非常有趣，最簡單的就像在「小豆豆找家」中，利用同部首加上不同偏旁組字，將識字範圍擴大。例如：「水」部中有江、河、洗、溝、洋……等，往後當孩子看到水部時，就可以猜測這個字是和水有關，以此類推，「木」部就和木材有關係，而「火」部和燭火使用相關。

因此，當孩子開始找字與字之間的差異，並對這些字的差異形成自己一套解釋系統後，這些字對孩子就開始產生意義。

此外，「男生好還是女生好？」一文中，要孩子認識的是所謂的「離合字」，也就是由兩個各有其意義的字根所組成的字。例如：古時候在「田」裡需要出「力」氣的大部分是「男生」；這個人做事「不」太公「正」就是「歪」……等，可以陪孩子建立一套屬於自己的識字系統，讓孩子識字時對這個字產生連結並形成記憶。

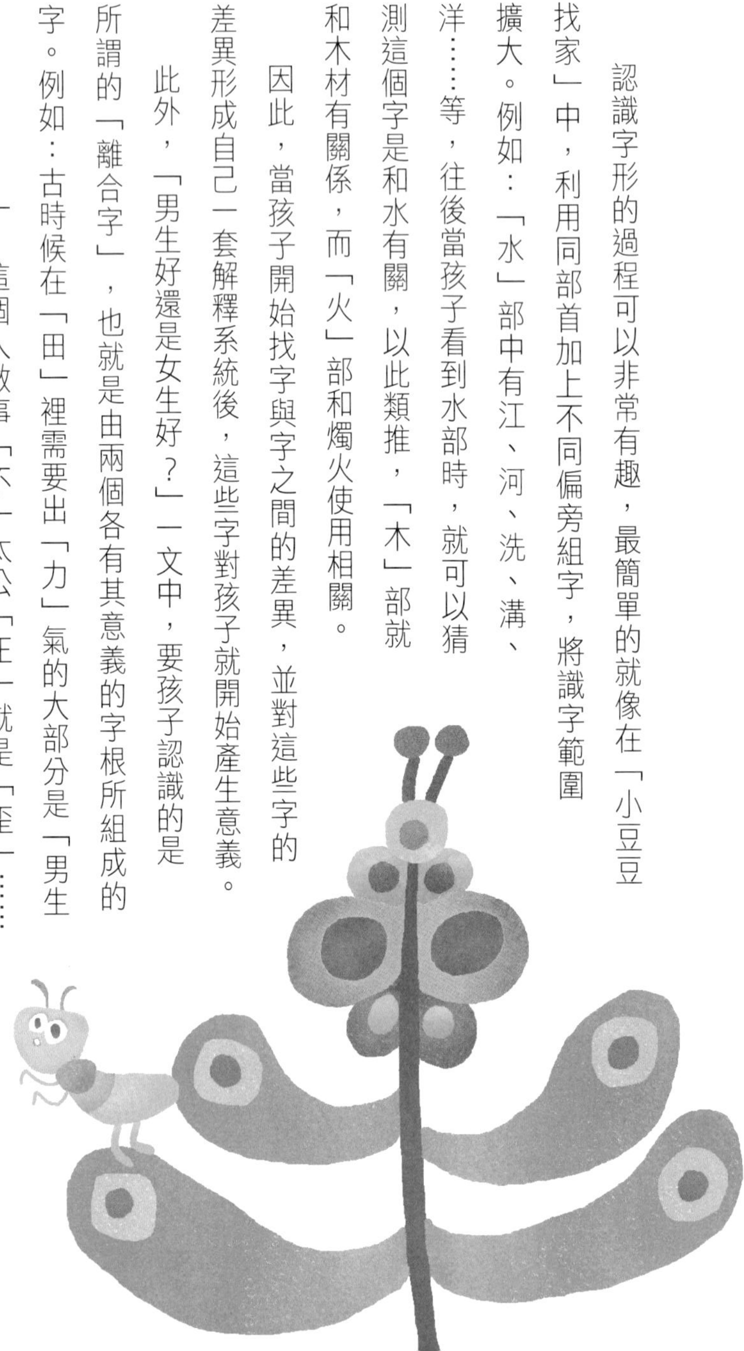

中國字的讀音又是一大學問，單字變成語詞後，往往讀音會改變，例如：「不」字，後面接「好」、「行」都是念ㄅㄨˋ；後面接「是」、「要」則是念ㄅㄨˊ。當遇到「不」字時，要先觀察前後文字，藉由過去累積的經驗判斷讀音及字義後，再進行接續閱讀及理解。

因此，閱讀文字是一連串不斷猜測、分析、判斷的過程，而大量閱讀對學齡兒童是絕對必要的。孩子得經歷多次的練習和判斷的經驗，才能累積對文字的分析能力及敏感度，也才會縮短他認字的時間。

過去如果要建立孩子對同音字的認識，最常使用的方法就是念「繞口令」，例如：「扁擔長，扁擔寬，扁擔沒有板凳寬，板凳沒有扁擔長，扁擔要把扁擔綁到板凳上，板凳不讓扁擔綁到板凳上，扁擔偏要把那個扁擔綁到板凳上。」藉此讓孩子練習「扁擔」及「板凳」的讀音。

但其實對孩子來說，如果沒有適度加入「劇情」，一方面要把相似的字正確讀出來，另一方面又要去理解它所表達的意思，不但不有趣，反而有些痛苦。

在「英雄小野狼」和「灰雞搭飛機」兩篇故事裡，作者不只加入好玩有趣的情節，還把文字修飾得流暢、生動，讓人讀起來不但詼諧有趣，更增加了豐富的節奏感。

三、字詞的雙面人——文字的含義

小時候最幸福的一件事，就是媽媽幫我帶愛心便當。

有一天，媽媽如往常問我今天的便當好不好吃，我突然欲言又止，因為心裡的回答是：「好吃是好吃，但是不好吃。」當時說不出口，只覺得這個答案很怪，事後想想，我的意思應該是「好吃，但是不『方便』吃」。

這時才發現，原來平常生活中，有些特定的字或詞可以有不同的解釋方法，而這種文字遊戲可以增加許多生活的趣味！

在「傻蛋滾蛋」和「當心兒童」兩篇故事中，選用的都是生活中的雙關語，像是「當心」兒童，是要「小心別被兒童騙了」，而不是我們常用的「小心別傷害到兒童」。在「傻蛋滾蛋」中，出現了一些看似平常，實則充滿趣味的語詞，像是「看醫生」，是去找醫生診斷病情的意思，但就字面而言，醫生和我一樣兩個眼睛一個嘴巴呀！稍空為什麼要去「看」他呢？

這是我們慣用語詞後，不易發現的另類趣味！又像是「滾蛋」是拿蛋來滾嗎？

那「壞蛋」又是一種什麼樣的蛋呢？稍空這些有趣又有意思的文字，其實在我們身邊還真不少呢！

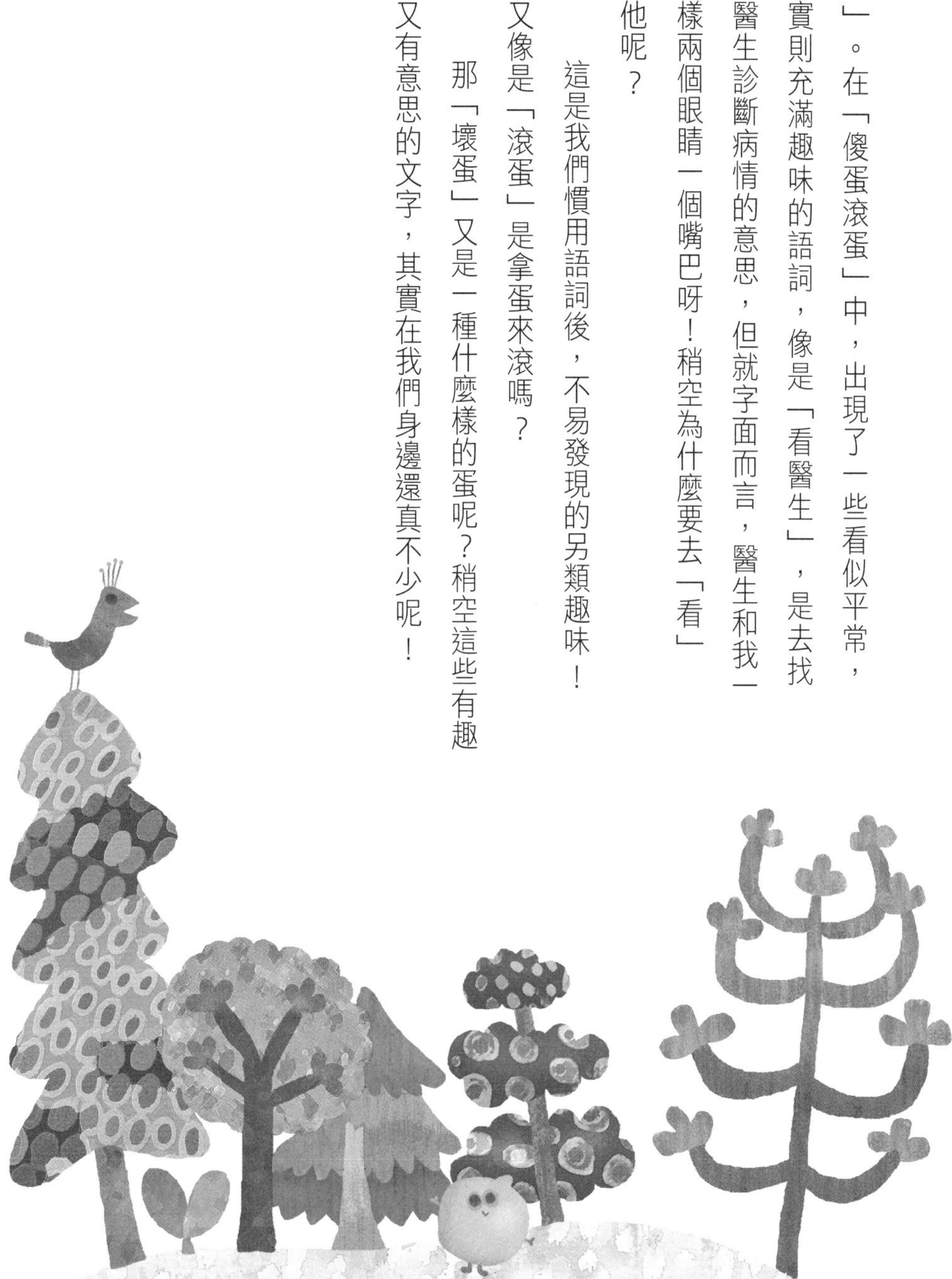

作者介紹

林世仁

我叫林世仁。

「林」是會意字，意思是樹林。我的老祖宗是在長林石室裡出生的，所以取林為姓。

「世」的古字是「葉」的同義字，我們現在使用的是它的引申義。人的一生叫「一世」，「世」也有「世代」的意思。

「仁」是會意字，指的是人與人之間相處的關係，有親善、仁愛的意思。一部《論語》基本上都是在闡述「仁」的意涵。

「林世仁」合在一起，就成為我在人生中的代號──名字。「世」在我的名字中還代表「輩份」，跟我同輩的堂兄弟，名字裡都有「世」字。

漢字以簡御繁，只需三千多字便能應付日常所需，但也因此出現許多諧音字。「世仁」的諧音就不少，彷彿寓示了我的一生：首先我生而「是人」(多麼幸運！)，是這世界上的「世人」(而且神愛世人)，而我也真的寫起詩來，有些「詩人」個性。我從小就瘦，瘦得有幾分「天將降大任於『斯人』也」的味道（只是從沒碰上什麼神聖奇遇）；而有朝一日，我將走完人生的旅程，成為「死人」。由生到死，我的名字說完了我的一生。名字也是父母對我的期許，我希望自己對人對事，都能常懷仁心。

除了這一套書，我寫過的書還有：童話《十四個窗口》、《十一個小紅帽》、《再見小童》、《和世界一塊兒長大》、《高樓上的小捕手》；童詩《我家住在大海邊》、《地球花園》、《宇宙呼啦圈》、圖象詩《文字森林海》、圖畫書《蚱蜢的英文信》等。

國家圖書館出版品預行編目(CIP)資料

英雄小野狼：字的形音義/林世仁文；章毓倩圖. -- 第三版. -- 臺北市：親子天下股份有限公司, 2021.06
84面；17×21公分. -- (字的童話系列；1)
注音版
ISBN 978-957-503-992-9(平裝)
863.596　　110005449

字的童話系列 01

英雄小野狼

作者｜林世仁
繪者｜章毓倩

責任編輯｜蔡忠琦、李寧紜
美術編輯｜郭惠芳、蕭雅慧

天下雜誌群創辦人｜殷允芃
董事長兼執行長｜何琦瑜
媒體暨產品事業群
總經理｜游玉雪
副總經理｜林彥傑
總編輯｜林欣靜
行銷總監｜林育菁
資深主編｜蔡忠琦
版權主任｜何晨瑋、黃微真

出版者｜親子天下股份有限公司
地址｜台北市 104 建國北路一段 96 號 4 樓
電話｜（02）2509-2800　傳真｜（02）2509-2462
網址｜www.parenting.com.tw
讀者服務專線｜（02）2662-0332　週一～週五：09:00~17:30
讀者服務傳真｜（02）2662-6048
客服信箱｜parenting@cw.com.tw
法律顧問｜台英國際商務法律事務所・羅明通律師
製版印刷｜中原造像股份有限公司
總經銷｜大和圖書有限公司　電話：(02）8990-2588

出版日期｜2005 年 12 月第一版第一次印行
2021 年 6 月第三版第一次印行
2023 年 9 月第三版第六次印行
定價｜2600 元。全套共 7 本讀本、7 片有聲故事 CD，並加贈親子活動讀本 1 本
書號｜BKKCA001P
ＩＳＢＮ｜978-957-503-992-9（平裝）

訂購服務
親子天下 Shopping｜shopping.parenting.com.tw
海外・大量訂購｜parenting@cw.com.tw
書香花園｜台北市建國北路二段 6 巷 11 號 電話（02）2506-1635
劃撥帳號｜50331356 親子天下股份有限公司